Michel Barat

Données de catalogage avant publication (Canada)

Barat, Michel, 1948-
Mon voisin mon cousin mon frère

(L'intégrale des entretiens NOMS DE DIEUX
d'Edmond Blattchen)
Comprend des réf. bibliogr.

ISBN 2-7604-0719-5

1. Barat, Michel, 1948- - Entretiens. 2. Vie spirituelle. 3. Philosophes - France - Entretiens. I. Blattchen, Edmond, 1949- . II. Titre. III. Collection : Blattchen, Edmond, 1949- . L'intégrale des entretiens NOMS DE DIEUX d'Edmond Blattchen.

B2430.B32A5 2000 194 C00-9400-98-2

Les Éditions internationales Alain Stanké remercient le Conseil des Arts, le ministre du Patrimoine canadien et la Société de développement des entreprises culturelles pour leur soutien financier.

Dépôt légal : Bibliothèque nationale du Québec, 2000.

Les Éditions internationales Alain Stanké
615, boulevard René-Lévesque Ouest, bureau 1100
Montréal (Québec) H3B 1P5
Téléphone : (514) 396-5151
Télécopieur : (514) 396-0440
Courrier électronique : editions@stanke.com

L'intégrale des entretiens
NOMS DE DIEUX
d'Edmond Blattchen

Michel Barat

Mon voisin mon cousin mon frère

Ce texte est la transcription de l'émission NOMS DE DIEUX
d'Edmond Blattchen enregistrée le 23 février 1993
et diffusée le 25 mars 1993
sur les ondes de la Radio télévision belge,
augmentée de la bibliographie mise à jour de l'auteur.
Les titres de chapitre sont de l'éditeur.
L'émission NOMS DE DIEUX, produite et présentée
par Edmond Blattchen, est une réalisation
du Centre de production de Liège de la RTBF.

L'éditeur remercie tous ceux qui ont rendu possible
la publication de cet ouvrage, en particulier
Michel Barat, Edmond Blattchen, Jean-Marie Libon,
Jacques Dochamps et l'équipe de l'émission NOMS DE DIEUX,
« les Amis de la RTBF Liège »
et Mamine Pirotte,
directeur du Centre de production de Liège de la RTBF.
L'édition et les notes du présent ouvrage sont de
François-Xavier Nève de Mévergnies.

L'enregistrement de cette émission sur cassette VHS,
éditée par RTBF Vidéo, est disponible
à la Médiathèque de la Communauté française de Belgique
(référence F 007 SW7311).

Crédits photographiques :
portraits de Michel Barat : © Photo Michel Barat ;
l'image : © 1999 Succession Pablo Picasso, Sofam, Belgique ;
le symbole : © Photo Michel Barat.

Dépôt légal : D/1999/7641/1
ISBN 2-930182-11-3
Imprimé en Belgique.
Diffusion exclusive :
Altéra Diffusion, Bruxelles, Belgique.
Diffusion exclusive pour la France :
Éditions Desclée de Brouwer, Paris.

« Je pense que la tâche
du prochain siècle,
en face de la plus terrible menace
qu'ait connue l'humanité,
va être d'y réintégrer les dieux. »

André Malraux

Sommaire

Michel Barat.

Michel Barat, bonjour

par Edmond Blattchen

EDMOND BLATTCHEN. — *Madame, Mademoiselle, Monsieur, bonjour.*

Commençons, si vous le voulez bien, par une devinette : « Quel est le point commun entre le roi des Belges Léopold Ier et l'ancien président chilien Salvador Allende ? Entre Mozart et Churchill ? Entre le pilote américain Charles Lindbergh, le premier aviateur qui traversa l'Atlantique d'un coup d'aile en 1927, et l'industriel liégeois d'origine britannique John Cockerill ? Tous appartenaient à la franc-maçonnerie.

Société secrète ou puissance parallèle ? Groupe de pression ou association philanthropique ? Méconnue, controversée, mystérieuse, parfois même persécutée, la franc-maçonnerie intrigue. Elle suscite la curiosité, souvent la méfiance, attisée par le caractère confidentiel de ses travaux et de ses rites.

Mais, plutôt que de « la » franc-maçonnerie, n'est-ce pas « des » francs-maçonneries qu'il convient de parler ? Deux grandes tendances y existent.

La première, qui regroupe plus de quatre-vingt-dix pour cent des francs-maçons du monde, se réfère au principe de la Grande Loge unie d'Angleterre. Cette première franc-maçonnerie est attachée à la croyance en Dieu. Chez nous, où elle est minoritaire, cette tendance est représentée par la Grande Loge régulière de Belgique.

La deuxième tendance, qui l'emporte largement en nombre en France, comme en Belgique d'ailleurs, est dite « libérale ». Attachée à la liberté de la conscience, elle regroupe plusieurs obédiences. La plus importante par ses effectifs est le Grand Orient, fervent défenseur de la laïcité. La Grande

Loge, à ne pas confondre avec la Grande Loge régulière dont il vient d'être question, a maintenu la référence au Grand Architecte de l'univers. Et, tandis que le Grand Orient et la Grande Loge sont exclusivement réservés aux hommes, le Droit humain, quant à lui, est mixte. Enfin, la Grande Loge féminine, comme son nom l'indique, est composée uniquement de femmes.

Alors, combien les francs-maçons sont-ils ? Difficile à savoir du fait de leur discrétion. En Belgique, ils seraient environ 15 000 ; en France, on en compterait une centaine de milliers, toutes obédiences confondues. Avec nous, ce soir, l'un des plus hauts dignitaires de cette franc-maçonnerie française : Michel Barat, le grand maître de la Grande Loge de France. Michel Barat, bonjour.

MICHEL BARAT. — Bonjour.

À quarante-quatre ans, vous êtes le plus jeune grand maître de l'histoire de votre obédience. C'est que, fait assez rare, vous n'aviez que vingt-trois ans lors de votre initiation. Vous étiez alors étudiant en philosophie. Attiré en Loge par curiosité intellectuelle, vous y avez découvert avant tout un lieu de spiritualité ouverte, à l'image de votre famille, une famille d'enseignants, tantôt agnostiques tolérants, tantôt chrétiens ouverts. Franc-maçon depuis plus de vingt ans, vous avouez votre préférence pour une obédience, la vôtre, qui invoque le Grand Architecte de l'univers. Ce dernier est librement interprété par chacun des membres. Cependant, la Grande Loge de France conserve sa référence à la Bible ; elle est ouverte, chez vous, à l'Évangile selon saint Jean. Cela ne vous empêche d'ailleurs pas d'entretenir les meilleurs rapports avec le Grand Orient de France, pourtant explicitement laïque. Vous cultivez le même idéal : un pari sur le sens, allié à un devoir humaniste.

Votre principal credo, depuis votre accession à la tête de l'ordre en 1990, est éminemment œcuménique. Aujourd'hui, dites-vous, il faut allier les puissances spirituelles contre la montée des intégrismes. Tous les intégrismes : religieux autant que politiques — une profession de foi qui domine votre livre La conversion du regard *(Albin Michel, « Parole Vive »). Ajoutons que dans la vie profane vous êtes docteur ès Lettres et agrégé de philosophie. Vous dirigez le département de philosophie au Centre National de Formation des Professeurs. Enfin, vous êtes aussi conseiller communal sans étiquette d'Herblay, dans le Val d'Oise.*

C'est à vous qu'il revient maintenant de revoir et éventuellement de corriger le titre de cet entretien.

LE TITRE

Nom(s) de Dieu(x)

EDMOND BLATTCHEN. — *Michel Barat, dans* La conversion du regard, *vous écrivez : « J'affirme que la maçonnerie, et plus particulièrement celle de la Grande Loge de France, tient à ce cosmopolitisme philosophique et humaniste qui est né de la rencontre de deux traditions anciennes : celle du monothéisme juif et celle de la philosophie grecque. » Je me trompe ou c'est cela qui explique la façon dont vous avez écrit le titre de notre émission ?*

MICHEL BARAT. — Oui, c'est bien cela qui explique la manière dont j'ai écrit le titre de notre entretien, c'est-à-dire en laissant en suspens l'orthographe de

« Nom(s) » et de « Dieu(x) », singulier ou pluriel : d'un côté, la tradition grecque avec le paganisme — qui n'est pas, contrairement à sa représentation banale, l'absence de divinité, mais une présence immédiate des dieux dans le monde et sur Terre — et, de l'autre côté, la tradition juive, et chrétienne, avec un Dieu transcendant, au-delà du monde, au-delà de la Terre et du Ciel, un unique Dieu créateur.

Effectivement, la tradition judéo-chrétienne a ce mérite d'offrir un espace de liberté car, mettant Dieu hors de la Terre, hors du monde *créé*, elle laisse à l'humain une sphère de liberté, de liberté de conscience même par rapport à ce Dieu créateur. En revanche, la tradition grecque sacralise la Terre ; et cet univers sacré rend les dieux proches et familiers. Les grandes traditions européennes sont héritières de ce mélange de la grande tradition transcendante judéo-chrétienne et de cet attachement à ce qu'est la Terre, à cet univers-des-hommes-et-des-dieux que nous avons hérité de la Grèce.

Pourquoi « Nom(s) » au pluriel mais avec une parenthèse ? Que voulez-vous exprimer ainsi ?

Ma parenthèse sur la pluralité du (des) nom(s) de Dieu(x) exprime notre liberté de conscience. Notre Europe est la rencontre de la Grèce et de Jérusalem. Il appartient à chacun de s'y repérer selon sa conscience. Pourquoi trancher ? Et puis, *peut-on* trancher ? Sait-on d'ailleurs s'il y a incompatibilité entre l'unicité, nécessaire, de l'Être divin et sa manifestation multiple, et la multiplicité du sacré, au niveau de la Terre ? Est-ce qu'après tout nous ne rejoindrions pas ici quelque chose de contemporain ? quelque chose qui fonde l'humanisme ? L'humanisme ne peut pas être fondé sans transcendance. La transcendance est un espace de liberté pour l'homme sur Terre. À la limite, même, sans Dieu transcendant, il n'y pas de laïcité, car il faut que les dieux n'habitent plus la Terre pour que l'homme vive dans une situation laïque.

C'est étonnant, ce que vous dites ! Parce que, généralement, on oppose monothéisme et laïcité !

Je crois que l'on commet là une erreur. Car, regardez la cité grecque : tout était soumis aux augures, tout était soumis aux vents, tout était soumis à la manière dont on allait regarder de quel côté venaient les oiseaux, ou quelle était la couleur des foies des animaux sacrifiés. Même le départ pour la guerre de Troie était lié aux messages des dieux !

Mais ces dieux-là, on les portait sur ses épaules !

Effectivement ! Même le récit de la fondation de Rome montre Énée arrivant avec ces dieux-là sur ses épaules pour fonder la Ville[1]. Rien de cela, évidemment, dans la tradition monothéiste, même si, plus tard, son côté institutionnel a imposé une lourde présence ecclésiale ; mais ça, c'est un autre problème.

Si je vous comprends bien, la « relation » à la divinité ne peut toutefois être que plurielle. Cela ne s'oppose-t-il pas à certaines positions ecclésiales qui dénoncent le pluralisme théologique ? Qu'en pensez-vous ?

Le pape est hostile au pluralisme théologique. J'avoue mal comprendre. Je comprends mal, du point de vue de l'intérieur même de la chrétienté, et plus particulièrement du catholicisme, et je comprends encore plus mal quand on veut parler d'œcuménisme.

Au sein de la chrétienté, qu'est-ce que la *Somme théologique* de saint Thomas d'Aquin, si ce n'est une discussion et un frottement de réponses possibles à des questions théologiques ? S'il n'y avait pas ces frottements des âmes, y aurait-il une théologie ? Le lieu même de la théologie n'est-il pas celui de la libre discussion ?

Deuxièmement, lorsqu'on considère les différentes formes du monothéisme, il y a une grande diversité. Dans le christianisme, il y a le protestantisme, l'orthodoxie, le catholicisme. Et, au sein même de chacune de ces grandes branches du monothéisme chrétien, il y a des « mouvements » différents. Il y a pluralité. Comment peut-on parler d'œcuménisme et en même temps nier le pluralisme théologique ?

Nous abordons là les rapports parfois difficiles entre la franc-maçonnerie et la religion ou les religions. Les Constitutions *d'Anderson*[2], *de 1723, fondent la franc-maçonnerie. Dans leur article 1, qui concerne les obligations du franc-maçon, il est dit : « Un maçon est obligé par son engagement d'obéir à la loi morale et, s'il comprend bien l'art (c'est-à-dire la franc-maçonnerie), il ne sera jamais un athée stupide, ni un libertin irréligieux » !*

Le Grand Architecte de l'univers, Michel Barat, qui est-ce ?

Je ne crois pas possible d'identifier le Grand Architecte de l'univers à aucun dieu révélé ou à un quelconque « principe de raison » ! Je crois justement que la grande originalité de la démarche maçonnique, c'est d'utiliser l'expression « Grand Architecte de l'univers » dans sa double référence. Le mot *architecte* existe dans la Bible, dans le *Livre de la Sagesse* et dans les *Proverbes.* La Sagesse y est auprès de Dieu comme *architecte.* La Sagesse désigne l'entendement divin en tant qu'il est créateur[3]. C'est-à-dire que, si jamais Dieu existe, il n'a pas créé le monde par caprice ; il l'a créé avec rationalité. Et cette rationalité peut être comprise par le fidèle de (ce) Dieu.

Par ailleurs, on trouve dans le début du rationalisme moderne, au XVIIe siècle, l'expression soit « architecte », soit « horloger », pour distinguer un principe de raison. Le principe de raison « suffisante », comme l'utilise notre frère Leibniz[4], implique la non-contradiction et un autre principe : « Il n'arrive rien sans cause. »

Or, ces deux principes, la Sagesse créatrice de Dieu et la Raison humaine, ne sont absolument pas contradictoires. Je crois qu'on trouve ici une originalité maçonnique importante. Faire référence au Grand Architecte de l'univers, c'est affirmer que les rationalistes ouverts comme les croyants ouverts doivent travailler ensemble. D'autant plus que l'expression suggère deux facultés humaines inséparables, à mon avis : la raison, d'un côté ; et, de l'autre, ce qu'on appelait jadis « le cœur » et qu'on peut appeler aujourd'hui « la foi ».

À la Grande Loge de France, il y a des croyants, des agnostiques, des athées, des hommes de toutes les couleurs… ?

Oui, il y a des gens de toutes opinions, de toutes croyances, de toutes origines ethniques. Mais vous avez utilisé un terme qui peut poser problème : « athéisme ». Ce terme-là ne dit pas la même chose qu'« agnostique » : l'agnostique est celui qui ne croit pas ou qui ne sait pas.

L'athéisme ne serait-il pas une forme d'agnosticisme intégriste, de la même manière qu'il existe des positions religieuses intégristes ? Ne peut-on pas renvoyer dos à dos le croyant qui, partant d'un « Je crois », n'admet aucun doute, et l'athée qui, partant d'un symétrique « Je crois à la non-existence de Dieu », condamne toute croyance comme étant la trace d'un passé infantile ? Nous refusons les deux intégrismes, croyant et athée.

Dans la revue Nouvelles Clés *de septembre-octobre 1992, vous écrivez : « Nous sommes autant les héritiers de l'*Évangile de Jean *que de la* Déclaration des droits de l'homme. *»* *Pouvez-vous préciser votre propos ?*

Saint Jean est le patron des constructeurs, et donc des maçons, mais il n'y a pas que cela ! L'*Évangile de Jean* a eu une destinée étrange. La première lecture de ce Quatrième Évangile — de cet Évangile sans correspondance régulière avec les autres, non « synoptique » — surprend parce qu'on y lit d'abord le combat des lumières contre les ténèbres comme le combat de l'Église primitive contre la Synagogue. Cette lecture manichéenne, parfois très dure, est à l'opposé de la franc-maçonnerie. Mais une deuxième lecture révèle un Évangile inspiré. Sa profondeur et son indépendance ont suscité, encouragé, la liberté de conscience. C'est cela, bien sûr, qui nous fait faire référence à lui.

Guernica, *de Pablo Picasso*
(1937, Musée du Prado, Madrid).

L'IMAGE

Une terrible leçon de l'Histoire

EDMOND BLATTCHEN. — *Comme image du siècle, Michel Barat, vous avez choisi une des œuvres les plus célèbres de Picasso,* Guernica. *Guernica est cette ville basque bombardée et rasée durant la guerre civile espagnole, le 27 avril 1937, par les avions allemands de la légion Condor, qui combattaient aux côtés du Général Franco. Ce raid, qui fit 248 victimes civiles, suscita une immense émotion dans le monde entier.*

Pourquoi Guernica plutôt qu'Auschwitz ou Hiroshima ?

MICHEL BARAT. — Pourquoi pas ? On aurait en effet pu prendre Auschwitz ou Hiroshima. D'autant plus que, dans ces deux cas, il s'agit d'une atrocité liée à l'utilisation des moyens techniques. Hiroshima avec l'armement atomique, Auschwitz avec l'industrialisation de la mort. Mais Guernica montre les prémices de l'utilisation de l'aviation pour la destruction massive, dans l'ultime tragédie d'une guerre civile.

Et puis, je voulais aussi montrer comment l'Histoire, sous sa forme tragique, est entrée dans la pensée et l'art contemporains. En engendrant une conception d'une « histoire déconstruite », comme est *déconstruit* en ses formes le tableau de Picasso. Nous assistons peut-être ici, philosophiquement, au début des pensées de la déconstruction qui sont des pensées qui veulent nier le sujet humain.

Diriez-vous, pour parler en termes d'actualité : « Guernica, Sarajevo : même combat » ?

C'est le même type de combat. Si ce n'est qu'aujourd'hui on entend quelque chose de différent pour Sarajevo. Je l'ai entendu à la radio : « Peut-être des interventions aériennes de secours et non plus de bombardement. » Comme si les moyens techniques d'abord liés strictement au militaire avaient été retournés, détournés, pour soulager les populations !

Est-il vrai que durant la guerre 40-45 beaucoup de francs-maçons ont été exécutés parce qu'ils étaient francs-maçons ?

Hélas, oui. De très nombreux maçons, de toutes les obédiences, sont morts pendant la guerre, pour différentes raisons.

La première, en effet, simplement, parce qu'ils étaient francs-maçons.

Ensuite, parce que bon nombre d'entre eux combattaient dans la Résistance. Les nazis ont souvent assimilé la franc-maçonnerie avec la Résistance. Le bureau que j'occupe actuellement à Paris, dans le XVIIe arrondissement, fut dès août 1940, le siège de la Ligue anti-maçonnique ! Je possède encore du papier à lettre à en-tête de la *Ligue anti-*

maçonnique française, Ancien Hôtel de la Grande Loge de France, 8 rue Puteaux, Paris XVIIe.

Parlons donc de l'engagement politique des francs-maçons. Lorsqu'un franc-maçon s'engage en politique — c'est votre cas, — s'engage-t-il en tant que franc-maçon ?

Il faut distinguer ici deux choses.

Premièrement, bien dire que la maçonnerie est une autorité spirituelle et non un pouvoir politique. Que donc, en tant que franc-maçon, nous n'avons pas à nous engager pour tel ou tel parti, dans le cadre du jeu normal de la démocratie.

En revanche, quand les valeurs de la dignité de l'homme, quand les valeurs fondamentales de l'humanisme, de la démocratie, sont mises en cause — que ce soit par les extrémismes de droite ou de gauche, — ce n'est pas simplement l'homme formé en Loge qui doit s'engager (c'est son devoir), mais c'est aussi le maçon en tant que tel, parce que tout maçon est humaniste, donc démocrate.

Est-ce que l'engagement est compatible avec la discrétion légendaire des francs-maçons, que certains, d'ailleurs, appellent « secret » pur et simple ?

Il faut être très clair dans cette affaire du « secret maçonnique ». Le « secret maçonnique » s'explique, vous l'avez rappelé, par les événements de la seconde guerre mondiale. La franc-maçonnerie est entrée dans la clandestinité parce qu'elle a été persécutée. Le « secret » est lié à cette période historique. Regardez les maçons de l'ancien temps, du XVIIIe siècle, de la fin du XVIIIe siècle : ils avaient des bannières ! Or le propre d'une bannière, c'est de parader. C'est donc l'histoire récente qui explique le « secret ».

Il y a une autre idée : la discrétion. Il ne nous appartient pas, par simple pudeur, de montrer sur la place publique les cérémonies et les rites maçonniques.

Cela étant, tout est public, publié dans des livres ou dans des documents à la disposition de tout le monde, savant ou simplement intelligent, — parfois même reproduit dans une littérature, à mon avis, de moins bon aloi. Donc il n'y a pas de rétention de savoir.

Le seul secret maçonnique qui vaut, qui a un sens, c'est celui de l'engagement spirituel d'un individu, parce que c'est de l'ordre de la subjectivité, ce n'est pas objectivable.

Ainsi n'y a-t-il a pas d'incompatibilité entre la neutralité de la maçonnerie et l'engagement d'un homme, qui se trouve être maçon.

Bien plus, nous souhaitons que ceux qui cherchent spiritualité et humanisme dans les loges prennent leurs responsabilités dans la vie de la cité. Ils n'engagent pas, en ce sens-là, la maçonnerie.

Mais il y a un devoir de la maçonnerie, quant à elle, sur le plan non pas politique mais moral : celui d'être un des lieux de résistance à tous les obscurantismes.

Dès lors, le fait qu'il y ait des francs-maçons de droite et de gauche, cela vous paraît une bonne chose ?

Non seulement cela me paraît une bonne chose mais cela me paraît une nécessité. Que signifierait une association (je préférerais ce terme à celui d'« ordre ») qui prétendrait *rassembler* des hommes ayant dès le départ tous les mêmes opinions ? Il n'y aurait plus du tout d'*assemblement* des hommes ! Il y aurait une refonte, ou plutôt une répétition, de ce que nous trouvons dans la société : des cloisonnements. Or, l'idéal maçonnique est de faire en sorte que des hommes qui ont des opinions différentes puissent — dans une recherche spirituelle en commun — se rassembler. On ne s'étonne pas que des chrétiens puissent être de droite ou de gauche. Je ne vois pas pourquoi on s'étonnerait que des maçons soient de droite ou de gauche !

Comment fait-on pour vivre « en Loge » entre anti-militaristes et mili-

taires ? Car il y a des militaires francs-maçons. Il y a même eu, je crois, un ministre français de la Défense qui était franc-maçon, Charles Hernu !

Charles Hernu se disait lui-même — lui qui appartenait d'ailleurs à la Grande Loge de France et au Grand Orient de France — membre de la maçonnerie. Il y a une tradition maçonnique militaire importante. À l'époque napoléonienne, on voit des Loges suivre la Grande Armée. Il y a de l'autre côté une tradition maçonnique de sens opposé, comme vous le dites. Je crois qu'ici vous rencontrez deux vertus : celle du devoir, qui est sans doute la première vertu militaire, et la vertu du respect de la vie. N'est-il pas bon qu'il existe des lieux dans lesquels se rencontrent le devoir envers la nation et le devoir par rapport au respect de la vie ? Ces deux devoirs sont-ils nécessairement opposés ? Est-ce que ce n'est pas parce que, d'un côté, des militaires obéissant au devoir de la nation et, d'un autre côté, des hommes de paix obéissant à un devoir peut-être plus universel et plus humain se sont rencontrés dans des Loges qu'aujourd'hui naît une idée différente de l'intervention militaire : comme soldat de la paix et non plus comme soldat de la guerre !

Le général Pinochet a été initié à la franc-maçonnerie. Or, on le rappelait tout à l'heure, l'ancien président Salvador Allende était lui aussi franc-maçon. C'est une leçon de l'histoire qui est terrible !

Oui, une leçon terrible ! D'autant plus que si Salvador Allende avait confiance en l'armée chilienne, c'est notamment qu'il savait que Pinochet avait connu l'idéal maçonnique. Pinochet n'y est toutefois pas monté loin ; il a été initié ; il n'a jamais dépassé l'apprentissage. Il a eu une vie maçonnique très brève puisque d'abord, heureusement, lui-même n'a pas voulu rester ; ensuite, la Grande Loge du Chili n'y tenait pas. Mais il est vrai que parfois la vigilance des Loges, par rapport à ce type de problème, peut être prise en défaut ! Et là, il faudrait apporter quelque chose. Nous sommes un lieu de tolérance, certes. Mais si nous sommes un lieu dans lequel nous n'avons pas à dire qui est de droite ou qui est de gauche, la tolérance n'est pas l'abandon de la rigueur ! Il est évident qu'il y a une incompatibilité avec l'état de maçon : c'est l'état des intégrismes ou des obscurantismes. Parfois, certains fanatiques cherchent à nous infiltrer, mais nous avons ici un devoir : refuser.

LA PHRASE

Ni maîtres ni esclaves

« Nous sommes hommes d'abord, citoyens et partie du monde. Non pas une partie destinée à servir mais une partie maîtresse. »

Épictète.

EDMOND BLATTCHEN. — *Monsieur le Professeur de philosophie, pourriez-vous nous rappeler qui était Épictète ?*

MICHEL BARAT. — Épictète était un esclave grec, qui a fondé ce qu'on a ensuite appelé le « stoïcisme », c'est-à-dire une école philosophique qui vise à obtenir la tranquillité de l'âme par la raison.

Mais une raison qui, pour ainsi dire, « participe à l'esprit de l'univers ».

Diriez-vous qu'il était « un franc-maçon sans tablier », en quelque sorte, un franc-maçon d'avant la franc-maçonnerie ?

Je n'utiliserais pas cette formule-là parce qu'il y a toujours un abus à s'approprier tous les grands penseurs quand on appartient à une institution spirituelle. Cela dit, c'est volontiers que nous faisons référence à lui. Nous sommes heureux d'être les héritiers d'une tradition telle que la tradition stoïcienne.

Enfin, cette phrase d'Épictète, vous la revendiquez ?

Je la fais mienne et nous la faisons nôtre.

C'est une phrase fondatrice de fraternité universelle, de combat contre l'esclavage. Diriez-vous que les francs-

maçons sont vraiment cosmopolites ? Ce qu'on leur a souvent reproché, d'ailleurs !

Ils doivent l'être ! Parfois, je souhaiterais qu'ils le soient plus qu'ils ne le sont ! Et en utilisant le mot *cosmopolite* dans son sens authentique. Aujourd'hui, il y a une sorte d'accord entre l'ignorance et la malveillance pour faire du mot *cosmopolite* un terme quasiment injurieux. C'est ce que font les dogmatismes politiques ou intégristes.

Or, qu'est-ce que cela veut dire, *cosmopolite* ? « Citoyen du monde. » *Citoyen* au sens où « tout individu qui participe à l'esprit du monde, et qui y participe non pas en tant qu'*esclave* mais, bien entendu, en tant que *maître* ».

D'ailleurs, cela rejoint notre progression initiatique dans laquelle nous parlons d'*apprenti*, de *compagnon* et de *maître.* C'est cela que nous trouvons dans ce que les maçons appellent « l'initiation » : nous ne sommes pas une pièce *servile* de l'univers, mais une pièce *maîtresse.*

Là où il y a esclavage, il y a des personnes ; il y a l'esclave et il y a le maître. Est-ce que l'esclave et le maître sont également vos frères, Michel Barat ?

L'esclave et le maître, si on parle en termes philosophiques, sont *mes* frères. Mais ils *sont* frères parce que, d'une certaine manière, le maître lui-même voit sa liberté compromise par le simple fait qu'il ait réduit quelqu'un en esclavage ! Ce qui ne signifie pas que nous puissions nous considérer comme le frère de celui qui va utiliser la brutalité pour réduire un autre frère en esclavage. Je crois que quand on veut devenir le maître de quelqu'un, c'est-à-dire réduire quelqu'un à la servitude, c'est peut-être parce qu'on n'a pas d'abord été capable de régler quelques problèmes à l'intérieur de soi-même. Le dictateur est celui qui a au départ une conscience déchirée et malheureuse. Quand nous regardons les temps contemporains, comment comprendre que des individus qui sont de braves gens vont adopter des pensées extrémistes, des pensées redoutables, qui peuvent conduire à des catastrophes ? Alors que si on les connaît comme voisins ou si on les croise dans la rue, ils apparaissent comme de braves gens. N'est-ce pas qu'à l'intérieur d'eux-mêmes il y a une déchirure ? Dans tout être, il faut distinguer son humanité. La formule d'Épictète dit quelque chose d'important : être homme d'abord ; citoyen ensuite ! C'est la grande tradition maçonnique. Notre frère Montesquieu disait quelque chose qui ressemblait à cela ; je le cite de mémoire : « Si j'ai quelque chose à faire de bien pour ma patrie qui soit nuisible à l'humanité, j'y renonce ! » C'est bien ce qui est dit ici. On est d'abord homme ; et c'est parce qu'on est homme qu'on est citoyen. Et si on est homme, c'est parce qu'on est une partie maîtresse de l'univers. Je crois que la hiérarchie des valeurs contenue dans cette formule stoïcienne est très importante. En plus, elle suggère que l'homme lui-même peut, grâce à un effort spirituel sur lui-même, arriver à trouver cette hiérarchie des valeurs ; sa propre humanité ; la manière dont il est une pièce maîtresse de l'univers.

C'est ce que vous dites dans La conversion du regard. *« C'est parce qu'il travaille sur lui-même que le maçon construit la fraternité spirituelle qui le lie à ses Frères et qu'il peut à partir de là participer à la construction de la fraternité des hommes. » Est-ce que Jean-Marie Le Pen est votre frère ?*

Apparemment, non. Tout à l'heure, je vous disais que le maître peut être mon frère. Mais le refus de la tolérance, la haine… renverse les valeurs. Voici un exemple de raisonnement devenu pervers. Quand quelqu'un comme Le Pen dit : « Je préfère mon fils à mon cousin, mon cousin à mon voisin, mon voisin à l'étranger ! », on a l'impression d'un raisonnement sain. Alors que c'est pervers ! Cela semble naturel, alors que c'est pervers parce que faux. Bien entendu, on n'aime pas tous les hommes, comme ça, *in abstracto* ! « Aimer tous les hommes », dans l'abstrait, c'est « n'aimer personne ». Et, bien sûr que j'aime d'abord mon fils ! Mais c'est *parce que* j'aime mon fils que j'aimerai mon cousin ! C'est *parce que* j'aimerai mon cousin que je serai capable d'aimer le voisin ! Et c'est *parce que* je serai capable d'aimer mon voisin qu'un jour je pourrai aimer l'étranger ; c'est-à-dire le considérer non plus comme un *étranger* mais comme un *frère.*

Ce qui nous sépare radicalement de ce type de pensée, c'est que les intégristes voient l'homme prisonnier d'une nature, de laquelle il ne se sortirait pas. Enraciné comme une plante dans le lieu d'où il est. C'est pour cela qu'ils font, eux, du *cosmopolitisme* une injure : ils ne se rendent pas compte que, *de proche en proche,* tout homme peut devenir un prochain, mon frère.

Diriez-vous que, si tous les maçons ne croient pas en Dieu, tous croient en l'homme ?

Oui. Effectivement, tous les maçons ne croient pas en Dieu, mais tous croient en la dignité de l'homme. C'est-à-dire en un être capable d'avoir un regard vers ce qui le dépasse. Certains interpréteront cela comme Dieu, d'autres comme l'Humanité avec un grand H. Mais, après tout, est-ce que cela ne revient pas au même ?

Certes, dans la démarche maçonnique, il y a référence à une transcendance et à un sens. Mais il y a en même temps la compréhension de l'humilité de l'homme. De telle manière que, s'il est porteur de vérité, vecteur de vérité, il n'en est jamais possesseur. Nietzsche disait : « Humain, trop humain. » Je substituerais bien volontiers à cela : « Humain, tout à fait humain. » La dignité de l'homme repose sur le fait qu'il cherche et porte toujours un sens qui le dépasse.

On oppose souvent franc-maçonnerie et Église, au singulier ou au pluriel. Fin 1991, vous avez signé un texte écrit avec Mgr Decourtray, cardinal archevêque de Lyon, avec le Pasteur Stewart et avec le Grand Rabbin Sirat contre l'exclusion de l'étranger. Y a-t-il place pour vous, au-delà du dialogue, pour une action commune avec les autorités spirituelles ?

Non seulement je pense qu'il y a place ; je crois qu'il y a *devoir* des autorités spirituelles, aujourd'hui, d'agir de cette manière-là ! Nous devons mener ensemble le combat moral pour le respect de ce qu'il y a de grand dans l'homme et pour le respect de cette recherche du sens.

Face à la montée des obscurantismes, face aussi à la désaffection du monde politique ou du discours idéologique, il n'y a peut-être que les institutions de type spirituel qui peuvent mener une véritable résistance. Il serait dommage que ces institutions retournent à des disputes obsolètes. Elles ont aujourd'hui le devoir de se rassembler pour lutter ensemble pour ce qu'elles ont, profondément, en commun : l'idée que l'homme est porteur de sens, qu'il ne se résume jamais à un tissu de déterminismes et que, de ce fait-là, il y a un combat humaniste à mener, fondé justement sur ce pari du sens.

Assiette offerte à l'auteur lors de sa visite à la Loge de Nouméa, en Nouvelle-Calédonie.

LE SYMBOLE

Le Grand Architecte

EDMOND BLATTCHEN. — *Michel Barat, pouvez-vous nous dévoiler le secret de cette belle assiette ?*

MICHEL BARAT. — Elle m'a été offerte par un de mes amis et frères de la Loge de la Fraternité australe à l'Orient, c'est-à-dire en la ville, de Nouméa, en Nouvelle-Calédonie.

Comme vous pouvez le voir, elle représente, avec un trait et des pointillés jaunes, l'île de la Nouvelle-Calédonie avec les petites îles autour, dont les îles Loyauté. On y voit aussi le *pavé mosaïque,* c'est-à-dire cette succession en perspective de carrés blancs et noirs qui illustrent l'alliance des contraires — thème maçonnique — et, au fond, l'animal mythique de la Nouvelle-Calédonie, le cagou, cet étrange oiseau qui aboie !

C'est l'occasion de vous demander de nous préciser le sens de certains symboles maçonniques, le « G », par exemple.

Le « G » est l'initiale du mot *géométrie*, mais il peut représenter aussi d'autres références. Ça peut être tout autant la *grammaire*, c'est-à-dire en fait les sciences humaines — mais ces sciences humaines ramenées au principe du Grand Architecte, puisque cette lettre symbolise aussi cela. « G » signifie donc qu'il ne saurait y avoir de science rationnelle sans une référence à une transcendance.

Chacun y met ce qu'il veut ?

Chacun va « conjuguer » cette lettre G comme il l'entend, mais la cohérence de ces conjugaisons libres dépend de la référence à un pari sur le sens, qu'on appelle le « Grand Architecte », « G ».

Et l'équerre et le compas ?

L'équerre et le compas sont encore plus simples à expliquer. Ce sont deux instruments traditionnels de la construction. Mais ils prennent ici un autre sens. L'équerre permet de vérifier l'aplomb des pierres que l'on met les unes sur les autres au cours de l'érection d'un édifice. Le compas est un instrument de mesure ; il aide l'architecte dans la conception du plan. Ici, l'équerre de la rigueur morale s'unit à l'ouverture d'esprit du compas.

Que peuvent donc signifier en Nouvelle-Calédonie les symboles des métiers des constructeurs de cathédrale ?

Ha ! c'est pour cela que je vous ai amené cette étoile ! Oui j'appelle ça une étoile parce que c'est aussi un symbole maçonnique : au « G », on aurait pu substituer une étoile. Je vous ai apporté cette assiette parce que, voici la merveille ! Que vient faire la tradition européenne de construction des cathédrales, là où il n'y a traditionnellement que des bâtisses précaires comme les grandes huttes traditionnelles ?

Eh bien, c'est cela qui est étrange ! Quand la maçonnerie s'est implantée en Océanie, dans une culture au point de départ différente de la nôtre, c'est par cette référence à la construction que la maçonnerie a pu s'implanter ! La « grande maison » du chef, c'est-à-dire du roi d'une tribu, a une architecture pleine de symboles. Le mât central représente la royauté. Les poteaux autour symbolisent l'ensemble des familles constituant la tribu. Et les poutres qui partent du mât ne s'appuient qu'indirectement sur les poteaux périphériques car il ne saurait y avoir d'autorité uniquement en soumettant les autres : mis en treillis ou en réseau, les poids se répartissent sur l'ensemble des piliers.

Ainsi, l'architecture de la hutte du chef exprime à la fois la vie sociale du Canaque mais aussi sa spiritualité et son idéal de fraternité. Il n'est donc pas étonnant que dans ces terres lointaines la Loge, la Grande Loge de France, soit dirigée tantôt par un Européen, tantôt par un Vietnamien, tantôt par un Canaque.

Pourrait-on imaginer des loges maçonniques chez les Esquimaux ? Est-ce que la franc-maçonnerie est un modèle universellement exportable ?

L'idée de la maçonnerie, son cosmopolitisme, est effectivement universellement exportable. Si j'ai choisi l'Océanie, c'est qu'elle se situe aux antipodes ; cela me semble symbolique du caractère universel de la maçonnerie. La maçonnerie est présente en Afrique, en Amérique… Fondée sur le respect de chaque individu, la franc-maçonnerie est naturellement universelle.

Dans les Loges de Nouvelle-Calédonie, il y a des gens de toutes les communautés, des Canaques, des Vietnamiens, des Caldoches — même si les Blancs n'aiment pas qu'on les appelle ainsi. Or, vous l'avez dit tout à l'heure, en Loge en France et en Belgique, il y a des croyants, des agnostiques, des théistes, des déistes, des hommes et des femmes de droite, des hommes et des femmes de gauche ; est-ce qu'il n'y a pas là un danger de confusion, au sens où on ne sait plus qui on est dans une fraternité pareille ?

Qu'il y ait des dangers, et que parmi ces dangers il y ait celui de perdre le sens de ce que l'on est, c'est vrai. Mais, est-ce que, dans toute tentative de construction, il n'y a pas des risques ? Il est vrai que quand on assemble des pierres différentes, quand on assemble des matériaux différents, quand on réunit des sculpteurs ou des artistes différents pour ériger une cathédrale, il y a bien sûr le risque de l'échec. Et le risque de cet échec serait celui de la confusion. C'est un des drames symboliques de l'humanité. La cathédrale qu'on est en train de construire ne va-t-elle pas s'arrêter un jour de monter vers le ciel dans la confusion des langues, comme la tour de Babel ?

Le pari de la maçonnerie, c'est de dire : il y a une possibilité de construction d'un édifice solide. D'où la référence à la construction des cathédrales. Ce pari est d'autant plus risqué parce que nos pierres ne sont pas des pierres mortes mais, comme le disait Rabelais : « Des pierres vives qui sont chaque homme participant à cette construction. »

Michel Barat, vous dites volontiers que les francs-maçons sont « des gens dangereux » : ils finissent un jour par ne plus être prisonniers de leurs propres idées ; ils sont prêts à changer…

Je confirme cette formule. Pour certains, nous serions foncièrement dangereux.

Car des hommes capables de changer d'opinion en prenant conscience de leurs erreurs ou de leurs préjugés sont des gens qui n'accepteront jamais d'être prisonniers de dogmes imposés de l'extérieur.

Monsieur Gromyko[5], quand on lui parlait de reconstruire une maçonnerie dans les pays de l'Est, disait : « Pourquoi voudriez-vous que je me mette des poux dans la tête ? » Mais moi, il me plaît d'être un pou sur une tête totalitaire !

Vous donnez, c'est bien normal, une image un peu idéale, un peu rose, de la franc-maçonnerie. Tout n'est pas rose en franc-maçonnerie ! Les faux-frères, cela existe ?

Tout ne saurait être rose pour différentes raisons. Comme vous le dites d'ailleurs, la maçonnerie est un idéal. Et cet idéal est construit par des hommes dont la finitude peut parfois être bien loin de l'idéal ! De là provient notre tolérance mais, effectivement, il y a des limites qu'on ne peut pas franchir ! Et donc il peut y avoir en maçonnerie — surtout que maintenant les obédiences sont nombreuses — des personnes qui ne devraient pas y être, ou des personnes qui doivent la quitter. Et c'est ce qui se passe. Il faut présenter un idéal, quand on appartient à une institution spirituelle ; mais il faut aussi être capable de montrer comment cet idéal rencontre les difficultés de la réalité ! Et puis il y a une autre raison qui fait que tout n'est pas rose. Nous plaidons pour l'universalité mais, comme vous l'avez dit dans votre introduction, il y a diversité d'obédiences. Y a-t-il contradiction entre universalité et diversité ? Si la diversité est une harmonie de singularités, cela est très bien car l'harmonie vaut mieux que l'unisson, le pas rythmé plutôt que le pas cadencé ! Mais s'il s'agit de rivalité, il y a risque pour l'universalité. Or c'est vrai, vous l'avez dit, qu'il y a en maçonnerie une division entre le monde anglo-saxon et le monde continental, qui est liée d'ailleurs à l'histoire de la maçonnerie. Quand la maçonnerie s'est engagée en politique au XIXe siècle ! Ce sont les séquelles de cette erreur que nous payons. Je crois qu'il faut le dire. Il faut à la fois dire l'idéal mais admettre que l'idéal bute contre des obstacles.

Revenons une dernière fois à cette belle assiette. 5992, qu'est-ce que c'est ?

C'est une année, une année symbolique ! C'est 1992, mais au lieu de prendre comme référence la naissance du Christ, nous prenons le premier Temple construit symboliquement aux yeux de la maçonnerie, le temple de Salomon[6].

Ça ne veut pas dire que vous êtes quatre mille ans en avance !?

Sans doute pas ! Ça veut dire que, si nous regardons vers l'avenir, nous souhaitons aussi puiser nos traditions dans toute l'histoire de l'humanité.

Eh bien, regardons vers l'avenir ; nous voici arrivés au dernier chapitre de cet entretien : le pari.

LE PARI

L'optimisme de la volonté

EDMOND BLATTCHEN. — *Michel Barat, la construction du Temple, c'est pour demain ?*

MICHEL BARAT. — La construction du Temple est pour aujourd'hui. Mais d'aujourd'hui pour demain.

À propos de la tradition maçonnique, souvent le mot *tradition* est pris à l'envers. Les trois quarts des gens pensent, quand on dit *tradition*, qu'il s'agit de regarder loin derrière soi, parfois même de se réfugier dans le passé, dans lequel on se sentirait en sécurité.

Il s'agit exactement de l'inverse. La tradition maçonnique est en construction et elle est plus devant nous que derrière nous. La tradition originelle est plutôt en avant, au-delà de moi-même, que derrière moi.

Mais votre conviction à vous est que le Temple, on finira bien, un jour ou l'autre, par le construire ?

Je ne suis pas sûr de son achèvement. Ce dont je suis certain, c'est que le Temple peut s'élever. Ce n'est pas tout à fait la même chose. Car nous ne sommes que des hommes, limités. Sans doute l'œuvre achevée n'existe pas. Mais quelles que soient les étapes, il y a quand même un progrès. Ma croyance n'est pas dans l'achèvement d'une humanité parfaite mais dans la perfectibilité de l'humanité. Il n'y aura jamais de perfection mais je parie qu'il y aura un progrès.

Dans La conversion du regard, *vous parlez de l'optimisme de la volonté et du pessimisme de la raison. Expliquez-nous.*

Nous avons un double devoir. Notre premier devoir est de regarder les choses en face, telles qu'elles sont. Seulement, quand on regarde les choses telles qu'elles sont, on a parfois une tendance, voltairienne — celle de Candide — qui consiste à ne voir que toutes les catastrophes du monde. Cela peut conduire à quelque chose d'anti-maçonnique.

Voltaire, qui fut un jour initié dans une Loge, exhorte à retourner chez soi cultiver son jardin. Mais ce qu'il comprit là est un peu court. Voltaire a raison sur un point : il faut savoir regarder les choses telles qu'elles sont et garder toujours sa lucidité. Mais la raison ne conduit pas obligatoirement aux conclusions désabusées de Voltaire ! Pour corriger ce pessimisme, il faut l'optimisme de la volonté.

Dans votre livre, vous dites : « Ce sont les francs-maçons anglais qui ont inventé la tolérance ; les français, les droits de l'homme ; les américains, l'indépendance des peuples. »

Et vous assignez comme tâche principale à la franc-maçonnerie de l'ave-

nir de « promouvoir la solidarité fraternelle entre les peuples ».

Oui. Si l'on me pose la question aujourd'hui : « Le franc-maçon est-il pro-européen ? », je réponds que le franc-maçon était pro-européen dès le XVIIIe siècle, à l'époque de la philosophie des Lumières, quand il parcourait toute l'Europe. Et après tout, l'Europe actuelle n'est-elle pas finalement l'héritage de ce qui s'est passé aux XVIIe et XVIIIe siècles ? Aujourd'hui, l'Europe qui naît devrait incarner le projet maçonnique des Lumières.

Et si on veut regarder vers l'avenir à partir de nos traditions européennes, on voit l'ensemble du monde : et la franc-maçonnerie veut être mondialiste, cosmopolite.

Dans une interview accordée au journal Le Monde *du 30 octobre 1991, vous dites : « Il y a une urgence pour les Lumières, pour un universalisme concret qui se nourrit de la singularité des cultures. » Ainsi vous opposez dans votre livre deux humanismes : celui de 1889 et celui de 1989 !*

Oui. Ce que je veux dire, c'est que nous sommes aux prises avec une sorte de crise intellectuelle autour de la question de l'humanisme. L'humanisme traditionnel est l'humanisme philosophique, né autour de la philosophie classique du XVIIe siècle, et repris par la philosophie des Lumières, qui consiste à dire : « Partout où il y a des hommes, il y a de l'Homme avec un grand H. C'est indispensable : c'est l'idée de l'universalité. « Quelles que soient les cultures, tout homme participe à l'humanité. » Cette idée a été un des instruments les plus efficaces contre les barbaries !

Mais, ensuite, au cours du XIXe siècle, cet humanisme s'est infléchi, a quasiment rompu même avec cette tradition, prenant une assise non philosophique mais née des sciences humaines, en particulier de l'anthropologie et de la sociologie : « Il existe *des* cultures ! Il existe des traditions différentes, de même dignité, égales. » C'est ce qu'essaie de faire comprendre quelqu'un comme Lévi-Strauss[7]. Dès lors, on abandonne l'*humanisme* (philosophique) *universel* pour un *humanisme du droit à la différence.*

Et j'ai l'impression que ces deux humanismes, disons le *philosophique* et l'*anthropologique*, sont en train de se combattre. Le premier parle d'universalité, l'autre de droit à la différence ! Les uns fêteront la Révolution française par une exposition universelle, comme en 1889 ; ou, comme en 1989, les autres feront défiler sur les Champs-Élysées toutes les nations du monde pour montrer, non pas en quoi ils participent à une culture universelle, mais en quoi ils ont une égale dignité dans leurs différences !

Or, je crois qu'il y a là des risques. Car la singularité, le droit à la différence (pure), ça peut être la Yougoslavie d'aujourd'hui ! En revanche, l'universalité seule, ça peut aussi être le totalitarisme stalinien ! Je crois donc nécessaire aujourd'hui d'inventer un universalisme fondé sur la singularité tout en gardant la perspective de l'universalité. Peut-être en essayant de casser les intermédiaires que sont les particularismes, les communautarismes les plus multiples, et en suggérant que c'est à partir de la singularité de la personne, de chaque individu, que peut s'exprimer le mieux une authentique universalité !

Est-ce qu'un monde meilleur est possible sans les francs-maçons ?

Un monde meilleur n'est pas possible sans des personnes faisant un pari sur le sens ! Que ce soit les francs-maçons, que ce soit d'autres organisations spirituelles. Je crois qu'aucune institution spirituelle ne peut dire qu'elle est indispensable pour un monde meilleur. Mais ce que toute institution spirituelle doit dire, c'est que sans spiritualité il n'y a pas de monde meilleur possible !

Et cela est très important, parce que, le dire, c'est en même temps dire que toutes les institutions spirituelles doivent s'unir dans la construction d'un monde meilleur. Aujourd'hui, toutes, elles ont ce message à donner, et toutes doivent combattre ensemble les risques qui menacent le monde de devenir non pas meilleur mais pire. Il m'arrive de dire que le pire est possible, mais qu'il n'est pas certain ; et donc que le meilleur est possible !

Michel Barat, vous incarnez une franc-maçonnerie spiritualiste. Est-ce qu'il vous arrive de prier ?

Je préfère le terme de *méditation* à celui de *prière*, parce que, n'ayant pas strictement une pratique religieuse, je pense qu'il ne faut pas abuser des termes. Mais la méditation est un dialogue intérieur, et un dialogue intérieur tourné vers la transcendance et le sens. Je crois qu'un homme de spiritualité doit connaître cette expérience.

Michel Barat, merci.

Au revoir et merci.

Notes de l'éditeur

1. Dans les livres 5 et 6 de son *Énéide*, Virgile raconte comment le Troyen Énée, après avoir fui Troie pillée et détruite par les Grecs, puis Carthage où l'enchaîne l'amour de Didon, arrive enfin en Italie avec ses dieux pour fonder la Ville, Rome, qui doit devenir maîtresse du monde.

2. Les *Constitutions* (1723) du britannique James Anderson, grand maître de la Grande Loge de Londres qui réunit les quatre Loges de francs-maçons de la capitale anglaise à l'époque, sont le premier règlement de la franc-maçonnerie moderne. Elles furent inspirées par un huguenot français contemporain, Jean-Théophile Désaguliers.

   Le nom de *francs-maçons*, traduit de l'anglais *free masons*, « maçons libres », remonte au XIIIe siècle. En ce temps-là, les architectes et maçons des cathédrales et des forteresses, gens au savoir rare et précieux, obtinrent tant de l'Église que des seigneurs un statut « libre », les affranchissant des servitudes et de la justice féodales. Ces experts gardaient dans leur *métier* (leur corporation) les secrets qui faisaient leur fortune, dans les deux sens du terme, pécuniaire et statutaire. Ces secrets étaient évidemment liés à l'art et à la science de la construction des bâtiments. Ainsi qualifie-t-on désormais cette époque originelle de la franc-maçonnerie d'*opérative*, c'est-à-dire « de l'œuvre » ou « du travail ».

Mais, à partir de la Renaissance, le retour du goût à l'Antique, le renouvellement des techniques et leur diffusion par l'imprimerie, ainsi que le démantèlement progressif des corporations sous l'effet à la fois de la concurrence économique et du contrôle juridique de l'État, arbitre toujours plus fort, contraignirent les anciens *métiers* soit à la disparition, soit à la métamorphose. Les *free masons* britanniques eurent alors l'idée de se perpétuer en se transmuant en des associations non plus professionnelles mais en des sortes de *clubs* « d'hommes libres et de bonnes mœurs » dont l'association précisément *pluridisciplinaire* — comme on le dirait de nos jours — aurait pour but d'*améliorer*, de « perfectionner » l'humanité des points de vue matériel, moral, social et intellectuel. Dans la poursuite de cet idéal philanthropique, les francs-maçons anglais du XVIIIe siècle eurent soin de maintenir les symboles, les rites et la pratique du secret de leurs initiateurs *maçons opératifs*.

Cette maçonnerie renouvelée, aujourd'hui ouverte à toutes les professions, prétend se réunir désormais pour réfléchir à la mise en œuvre de son projet de fraternité universel : voilà pourquoi elle est dès lors qualifiée de *spéculative* ou *philosophique*.

Même ceux qui ne partagent pas tout de l'idéal maçonnique s'accordent à reconnaître aujourd'hui à la franc-maçonnerie un rôle important dans la propagation, en Occident puis dans le monde, des idées modernes concernant la tolérance idéologique ou religieuse, l'égalité fondamentale des individus, des peuples et des races et, en fin de compte, un humanisme et une solidarité d'essence universelle.

3. La Sagesse (*ʰHokmaah* en hébreu, *Sophia* en grec) des derniers livres de l'Ancien Testament est appelée *Logos*, « Mot, Parole, Raison, Science », dans la fameuse première phrase de l'*Évangile selon saint Jean* (en grec) : Εν αρχη ην ʻο Λογος, και ʻο Λογος ην προς τον Θεον και Θεος ην ʻο Λογος. La traduc-

tion latine en est plus célèbre encore : IN PRINCIPIO ERAT VERBVM, ET VERBVM ERAT APVD DEVM, ET DEVS ERAT VERBVM.

On traduit d'habitude en français : « Au Commencement était le Verbe, et le Verbe était uni à Dieu — on préfère parfois aujourd'hui " tourné vers Dieu ", — et le Verbe était Dieu. » Une meilleure traduction serait : « Au commencement était la Parole, et la Parole était Dieu, et Dieu était la Parole. » Tout l'Évangile de Jean vise à montrer que Jésus est la Parole de Dieu, Fils de Dieu et Dieu lui-même : Και ʻο Λογος σαρξ εγενετο και εσκηνωσεν εν ημιν, χαι εθεασαμεθα την δοξαν αυτου δοξαν ʻος Μονογενους παρα Πατρος πληρης χαριτος χαι αληθειας, ET VERBVM CARO FACTVM EST..., soit « Et la Parole s'est faite chair (s'est *incarnée* en un homme : Jésus) et *elle a planté sa tente parmi nous* (voir *note 6* ci-dessous), et nous avons vu sa gloire, celle du Fils unique du Père, plein de grâce et de vérité » (*Jean* 1, 14).

4. Gottfried Wilhelm Leibniz (1646-1716), mathématicien, physicien, géographe, géologue, philosophe et théologien allemand qui contribua de façon décisive, avec Descartes et Newton, à asseoir, au début du XVIIIe siècle, les principes et la méthode scientifiques contemporains.

5. André ou Andréï Gromyko (1909-1989), homme politique, ministre des Affaires étrangères et chef de l'État soviétique. Il était célèbre pour son air triste et son total manque d'humour ; on l'appelait « l'homme qui ne rit jamais. »

6. Selon le *Premier Livre des Rois* (rédigé vers 575 av. J.-C.), c'est le troisième roi d'Israël, Salomon, fils de David, qui accomplit le rêve de son père en construisant le premier temple à Dieu, YHWH ou *Yahvé.* (Auparavant, l'arche d'Alliance reposait sous une simple tente.) Pour cette construction, son voisin le roi (païen) Hiram de Tyr lui offrit non seulement du bois — des poutres et des planches de cèdre du Liban — mais surtout son architecte et fondeur, lui aussi appelé Hiram. La construction aurait duré plusieurs années et ce Premier Temple aurait été d'une splendeur inouïe, inégalable (*Rois 1*, 5, 15-32, 6 et 7). Des miracles y auraient marqué l'entrée de l'arche et la dédicace du sanctuaire (*ibid.*, 8).

De même que bien avant lui Imhotep — l'architecte de la « première » pyramide, à Saqqarah, entre 2800 et 2500 av. J.-C. — avait été honoré après sa mort à l'égal d'un dieu et, du temps des pharaons grecs, considéré comme le père de toute science sous le nom de

Thot ou d'*Hermès Trismégiste*, le « trois fois grand » Hiram l'Architecte fut plus tard vénéré comme le dépositaire d'un savoir occulte mais tout-puissant, en même temps physique et métaphysique, qu'on appellerait plus tard encore *alchimique*.

La franc-maçonnerie se réclame parfois d'une tradition de construction architecturale et philosophique, voire théologique, remontant jusqu'à Hiram l'Architecte au travers des secrets des bâtisseurs de cathédrales médiévaux — architectes et *maçons*. Ainsi le Temple de l'Architecte apparaît-il comme le symbole de la doctrine *maçonnique*.

L'âge de 5992 ans attribué à la franc-maçonnerie en 1992 (date de la visite de Michel Barat en Nouvelle-Calédonie) exprime son désir de remonter à la plus haute Antiquité ; c'est l'âge donné par la tradition maçonnique du XVIIIe siècle à la création du monde : 4000 av. J.-C.

7. Claude Lévi-Strauss (né à Bruxelles en 1908), anthropologue français qui, à partir de son expérience des sociétés et des mythes sud-américains, a construit une philosophie de l'homme originale et forte.

   Pour ce qui nous concerne ici, son structuralisme systématique facilite chez lui la reconnaissance de l'identité de fonctionnement de l'esprit humain lorsqu'il crée les mythes fondateurs de ses multiples croyances et sociétés. Jointe à un respect profond envers tout homme concret et envers toute culture réelle, la démarche structurale elle-même aussi bien que ce qu'elle a permis de mettre en valeur — l'universalité de la *fonction symbolique*, notamment — fait que la pensée de Claude Lévi-Strauss, quoiqu'elle ait anéanti le mythe (occidental) du Bon Sauvage, peut apparaître comme favorable au postulat de l'égalité foncière entre toutes les civilisations.

Bibliographie de Michel Barat

Essais

Le vocabulaire des ennemis de la Commune, Éditions de l'Université de Paris X, 1971.

Le développement de l'enfant : conceptions psychologiques et conséquences pédagogiques, Colin-Bourrelier, 1979.

L'image de la femme à travers les textes et la symbolique gnostique, Éditions de l'Université de Dijon, 1986.

L'errance, traduction de *Erring, Errance* de Mark C. Taylor, Éditions du Cerf, 1988.

Culture technique et Jeunes défavorisés, synthèse du colloque organisé par le Centre international de Conférences, Cité des Sciences et de l'Industrie, Paris, 1989.

L'horreur métaphysique, traduction de *Metaphysical Horror* de L. Kolakowski, Éditions Payot, 1989.

La conversion du regard, Éditions Albin Michel, 1993.

ENREGISTREMENT SUR MICHEL BARAT

Michel Barat, entretien avec Edmond Blattchen, émission NOMS DE DIEUX du 25 mars 1993, Radio Télévision belge. Disponible à la Médiathèque de la Communauté française de Belgique, réf. F 007 SW7311.

Cet ouvrage, le cinquième de la collection « L'intégrale des entretiens NOMS DE DIEUX d'Edmond Blattchen », a été composé en New Baskerville corps onze et achevé d'imprimer le 2 février deux mille chez Bietlot à Gilly, Belgique, sur papier Meije bouffant 90 g pour le compte de Alice Éditions,
Michel de Grand Ry, éditeur.